Spanish Is Fun

Cuaderno de ejercicios

Book B

Heywood Wald
Former Assistant Principal
Foreign Language Department
Martin Van Buren High School
New York City

Lori Langer de Ramirez, Ed.D.
http://www.miscositas.com

AMSCO SCHOOL PUBLICATIONS, INC.,
a division of Perfection Learning®

Preface

This *Cuaderno de ejercicios* supplements the practice materials in SPANISH IS FUN, BOOK B. The vocabulary and structural elements are closely coordinated with parallel chapters in the textbook.

While some exercises use techniques similar to those in the basal text, others extend the range of the materials. The workbook format provides opportunities for writing practice and intensive homework.

Contents

EJERCICIO A

Draw a monster that corresponds to the following descriptions.

Tiene dos cabezas.

Tiene seis ojos.

Tiene nueve brazos.

Tiene dos narices.

Tiene cuatro estomagos.

Tiene ocho piernas.

Tiene ocho pies.

Tiene dos bocas.

Tiene cuatro lenguas.

Tiene doce manos.

Tiene veinte dedos.

Tiene quince orejas.

Tiene cinco corazones.

Tiene dos cuellos.

Tiene trece dientes.

EJERCICIO B

Complete the sentences with the correct form of the verb **tener.**

1. En el mes de julio yo _____ mucho calor.

2. ¿Cuántos años _____ Ud.?

3. Las mujeres _____ el pelo largo.

4. Tú _____ que ir a la escuela. Es obligatorio.

5. Alicia no es mala. Uds. no _____ razón.

6. ¡Un millón de dólares en la lotería! ¡Qué suerte _____ ella!

7. ¿Tienes una soda? Yo _____ mucha sed.

8. Después de un día en la playa nosotros _____ mucha hambre.

9. Mi abuelo es viejo. Él _____ muchos años.

10. Es medianoche. La niña _____ sueño.

EJERCICIO C

Match the sentences with their Spanish equivalents. Write the matching letter in the space provided.

1. I'm hungry now. _____   **a.** Tiene razón.

2. Are you thirsty? _____   **b.** El perro tiene frío.

3. The dog is cold. _____   **c.** Tengo ganas de ir al cine.

4. We have to work today. _____   **d.** Tengo hambre ahora.

5. I feel like going to the movies. _____   **e.** Tenemos que trabajar hoy.

6. You are right. _____   **f.** ¿Tienes sed?

7. They are wrong. _____   **g.** Ella tiene suerte.

8. I'm not sleepy.   _____   h. La muchacha tiene 20 años.

9. She is lucky.   _____   i. No tengo sueño.

10. The young lady is 20 years old.   _____   j. Ellos no tienen razón.

EJERCICIO D

Using the verb **tener,** tell what each person feels.

1. _____

2. _____

3. _____

4. _____

5. _____

EJERCICIO E

Label these parts of the body.

EJERCICIO F

Acróstico. Fill in the blanks in the puzzle on page 99 based on the images you see. Then read down the boxed column for the mystery phrase.

1.

2.

3.

4.

5.

6.

7.

8.

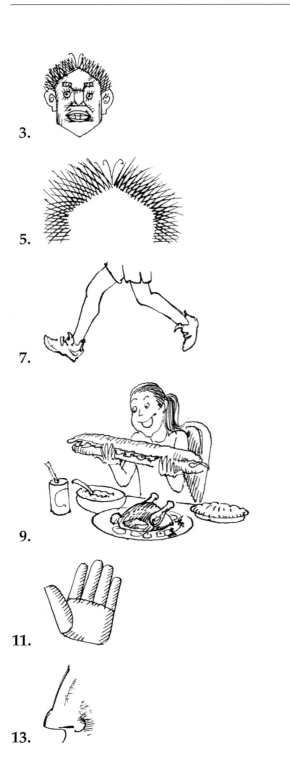

9.

10.

11.

12.

13.

14.

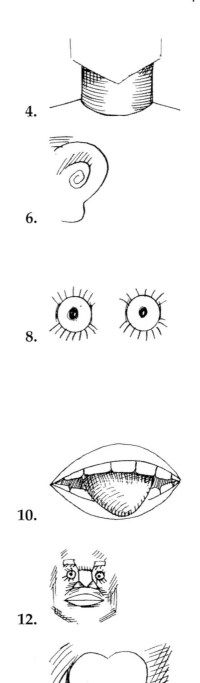

1. _____

2. _____

3. _____

4. _____

5. _____

6. _____

7. _____

8. _____

9. _____

10. _____

11. _____

12. _____

13. _____

14. _____

EJERCICIO A

Complete with the correct forms of **hacer.**

1. ¿Qué _____ Uds. hoy?

2. En julio y agosto _____ calor.

3. Esta noche _____ mucho viento.

4. ¿_____ Uds. ejercicio?

5. Nosotros _____ muchos exámenes en la escuela.

6. Tengo que _____ las tareas.

7. La niña _____ muchas preguntas.

8. Ellos _____ planes para las vacaciones.

9. Yo siempre _____ una lista.

10. Mi hermana y yo _____ la comida esta noche.

EJERCICIO B

Write sentences using the verb **hacer** for each of the following subjects.

1. Uds. _____

2. Yo _____

3. Ud. _____

4. Ud. y yo _____

5. Mis tíos _____

6. Tú _____

7. María y Luisa _____

8. El dentista _____

9. Nosotros _____

10. Los profesores _____

EJERCICIO C

Answer the following questions in complete Spanish sentences.

1. ¿Qué tiempo hace en el verano?

   _____

2. ¿En qué meses hace calor?

   _____

3. ¿Hace sol a medianoche?

   _____

4. ¿Cuándo nieva?

   _____

5. ¿En qué estación hace frío?

   _____

6. ¿En qué parte del día hace sol?

   _____

7. ¿Hace mucho frío en junio?

   _____

8. ¿Sale Ud. de la casa cuando llueve?

_____

9. ¿En qué mes hace viento?

_____

10. ¿Qué hace Ud. cuando hace buen tiempo?

_____

EJERCICIO D

¿Qué tiempo hace?

1. _____   **2.** _____

3. _____   **4.** _____

5. ————————————————

6. ————————————————

7. ————————————————

8. ————————————————

9. ————————————————

10. ————————————————

EJERCICIO E

Name the season and months for each set of pictures.

1.

meses _____

_____

estación _____   _____

2.

meses _____

_____

estación _____   _____

3.

meses _____

_____

estación _____   _____

4.

meses _____

_____

estación _____   _____

EJERCICIO F

Answer the questions about the following pictures.

1.    ¿Qué tiempo hace?

2.    ¿Es primavera?

3.    ¿Hace buen tiempo?

4.    ¿Hace calor?

5.  ¿Es verano?

6.  ¿Hace mucho frío?

7.  Hace sol?

8.  ¿Qué estación del año es?

EJERCICIO G

Using the chapter vocabulary, fill in the chart below with words that correspond to each month. Be sure to include seasons, weather expressions, and holidays (Hint!: You may repeat many of the phrases in different months).

ENERO	FEBRERO	MARZO	ABRIL
MAYO	**JUNIO**	**JULIO**	**AGOSTO**
SEPTIEMBRE	**OCTUBRE**	**NOVIEMBRE**	**DICIEMBRE**

EJERCICIO H

Write the script for a weather report for the next 2 days in your town or city. Include what the weather is like each day. Perform your weather report for the class!

EJERCICIO I

Brainstorm all the things you and your friends do or make using the verb **hacer,** by writing words and phrases around each of the figures below. Follow the model:

	Yo hago...		**Mis amigos hacen...**
	una lista		
	la tarea		

EJERCICIO A

Identify the rooms.

1. _____

2. _____

3. _____

4. _____

5. _____

EJERCICIO B

Write a sentence describing each piece of furniture. You can include some of the following adjectives.

pequeño	viejo	antiguo	elegante
grande	feo	moderno	cómodo
bonito	nuevo		

1. _____

2. _____

3. _____

4. _____

5. _____   6. _____

7. _____   8. _____

EJERCICIO C

Match the object with the room, then write a sentence following the model.

1. la cama   a. el comedor   → **La cama está en el dormitorio.**

2. el sillón   b. la silla

3. la nevera   c. la sala

4. la mesa   d. el dormitorio

5. la toalla   e. el baño

_____

_____

_____

_____

EJERCICIO D

Label each article and rooms, and then connect the pictures.

Furniture   Rooms of house

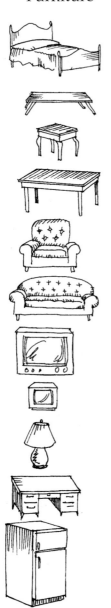

EJERCICIO E

Answer the questions using the Spanish forms of possessive adjectives according to the clues in parentheses.

EXAMPLE: ¿De quién es la escuela? (de las niñas) ➔ **Es su escuela.**

1. ¿De quién es el automóvil? (nosotros) _____

2. ¿De quién es la computadora? (ellas) _____

3. ¿De quién son los libros? (él) _____

4. ¿De quién son las cartas? (Uds.) _____

5. ¿De quién es la comida? (yo) _____

6. ¿De quién es el periódico? (tú) _____

7. ¿De quién es la casa? (ella) _____

8. ¿De quién son las plumas? (Maribel) _____

9. ¿De quién son las bebidas? (ellos) _____

10. ¿De quién es el regalo? (yo) _____

EJERCICIO F

Change the expressions in boldface to the plural. Make all other necessary changes.

EXAMPLES: Hablo con **mi amigo**.
Hablo con *mis amigos*.
Mi hija está en la playa.
Mis hijas están en la playa.

1. La niña toma **su helado**.

_____

2. ¿Dónde está **mi hermano**?

_____

3. **Nuestro tío** es rico.

   _____

4. El alumno aprende **su lección.**

   _____

5. No bailo con **su prima.**

   _____

6. ¿Tienes **tu cuaderno?**

   _____

7. **Su hija** no come carne.

   _____

8. **Nuestro hermano** estudia mucho.

   _____

9. **Mi padre** no está aquí.

   _____

10. ¿Preparas **tu tarea**?

    _____

EJERCICIO G

Rewrite the following phrases, making appropriate changes in the possessive adjectives.

EXAMPLE: mis hermanas (familia)
          mi familia

1. su casa (libros) _____

2. nuestros compañeros (amiga) _____

3. tus hijos (profesor) _____

4. mi computadora (lápices) _____

5. sus ideas (cuaderno) _____

6. nuestra escuela (padres) _____

7. tu blusa (ojos) _____

8. su perro (gato) _____

9. nuestras amigas (bicicleta) _____

10. mis problemas (dinero) _____

EJERCICIO H

Answer the following personal questions.

En tu casa, ¿dónde está/están...

1. tu cama?

   _____

2. el cepillo de dientes de tu padre?

   _____

3. los juguetes de tu hermano/a?

   _____

4. la mochila de tu hermano/a?

   _____

5. los libros de tus abuelos?

   _____

Write a sentence for each subject indicated by the pronoun in parentheses. Use the verb **gustar**.

EJERCICIO A

Fill in the plate with food in each category from the vocabulary on Lesson 16 of the student's book.

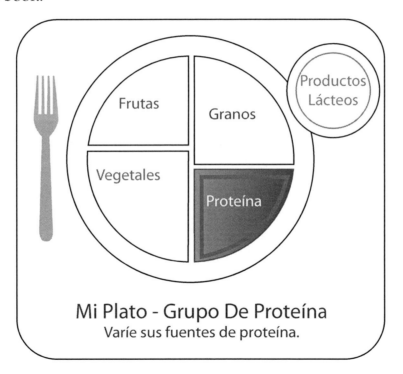

Frutas	Granos
_____	_____
_____	_____
_____	_____
Vegetales	**Proteína**
_____	_____
_____	_____
_____	_____

EJERCICIO B

Express what each of the following people like.

EXAMPLE: (yo) las flores
Me gustan las flores.

1. los sombreros no (yo) _____

2. el cereal no (tu) _____

3. la leche no (ellos) _____

4. las vacaciones no (ella) _____

5. el pescado no (Ud.) _____

6. la ensalada no (nosotros) _____

7. los actores no (ellas) _____

8. el cine no (el profesor Juarez) _____

9. las legumbres (yo) _____

10. el rosbif (nosotras) _____

EJERCICIO C

Replace the persons before **gustar** with the new ones in parentheses, making all necessary changes.

EXAMPLE: A Roberto y Fernando les gusta el café.
(ellos) **A ellos les gusta el café.**
(Onidina) **A Onidina le gusta el café.**

1. (tú) _____

2. (Ud.) _____

3. (Uds.) _____

4. (nosotros) _____

5. (ellos) _____

6. (ellas) _____

7. (Pablo) _____

8. (Jorge y Ana) _____

9. (mis padres) _____

10. (su hermano) _____

EJERCICIO D

Complete the sentences.

EXAMPLE: (los alumnos) **A los alumnos les gusta el helado.**

1. (nosotros) _____ las clases.

2. (ellos) _____ los huevos fritos.

3. (Ud.) _____ el jugo de naranja.

4. (yo) _____ el azúcar.

5. (Elena) _____ el tocino.

6. (Ricardo) _____ el pudín de chocolate.

7. (tú) _____ los vegetales.

8. (nosotros) _____ la sopa.

9. (ella) _____ la tostada.

10. (Uds.) _____ las papas fritas.

EJERCICIO E

By looking at the pictures, tell what the following people like to do.

EXAMPLE:

(Hector) **A Héctor le gusta mirar la televisión.**

1. (Antonio) _____

2. (Graciela y Andrés) _____

3. (mis padres) _____

4. (Julio) _____

5. (Mercedes) _____

6. (Rosalía) _____

7. (los niños) _____

EJERCICIO F

Buscapalabras. Can you find the twenty words related to eating? Circle them from left to right, right to left, up or down, and then list them below.

N	M	A	Y	O	N	E	S	A	F
T	V	Z	O	S	A	V	E	F	R
O	1	Ú	C	E	R	E	A	L	I
S	N	C	E	N	A	H	A	E	J
T	O	A	P	A	N	U	P	C	O
A	R	R	O	Z	J	G	O	H	L
D	A	B	L	C	A	O	S	E	E
A	S	A	L	G	H	A	D	O	S
I	J	M	O	S	T	A	Z	A	M
U	V	A	P	A	P	A	S	T	É

1. _____

2. _____

3. _____

4. _____

5. _____

6. _____

7. _____

8. _____

9. _____

10. _____

11. _____

12. _____

13. _____

14. _____

15. _____

16. _____

17. _____

18. _____

19. _____

20. _____

EJERCICIO G

Write a list of activities that you like to do in each of the four seasons. Use the verb **gustar**.

la primavera   **el verano**

EXAMPLE: **Me gusta jugar al béisbol.**

_____   _____

_____   _____

_____   _____

el otoño   **el invierno**

_____   _____

_____   _____

_____   _____

_____   _____

EJERCICIO A

Crucigrama.

1. far	5. beside	9. above
2. in, on	6. above, on	10. under
3. in front	7. behind	11. through, by
4. around	8. between	12. near

EJERCICIO B

¿**Sí o no?** The following sentences should describe the picture. If the description is correct, write **cierto**. If not, correct the sentence.

1. La profesora está detrás de la clase.

_____

2. La alumna está cerca de la puerta.

_____

3. La pluma está sobre el escritorio.

_____

4. El lápiz está en la mano de la alumna.

_____

5. La profesora está al lado de la ventana.

_____

6. Los libros están debajo del escritorio.

_____

7. El mapa está encima del reloj.

_____

8. El reloj está detrás de la pared.

_____

9. La silla está delante del escritorio.

_____

10. El mapa está entre la puerta y la ventana.

_____

EJERCICIO C

José has **una hermanita** who always contradicts him and says the opposite. Tell what she says.

1. José: La tienda está cerca de aquí.

    Hermanita: _____

2. José: Mamá está delante de la puerta.

    Hermanita: _____

3. José: Tu blusa está debajo de la cama.

    Hermanita: _____

4. José: La bicicleta está en frente de la casa.

    Hermanita: _____

EJERCICIO D

Tell where each place is on the map.

EXAMPLE: ¿Dónde está el teatro?
El teatro está al lado de la plaza.

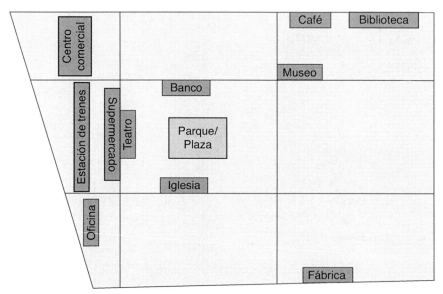

1. ¿Dónde está el café? _____

2. ¿Dónde está la fábrica? _____

3. ¿Dónde está la iglesia? _____

4. ¿Dónde está la biblioteca? _____

5. ¿Dónde está la oficina? _____

6. ¿Dónde está el supermercado? _____

7. ¿Dónde está la estación de trenes? _____

8. ¿Dónde está el banco? _____

9. ¿Dónde está el centro comercial? _____

10. ¿Dónde está el parque? _____

EJERCICIO E

Las diez diferencias. The two pictures on page 125 may look alike at first glance, but there are ten differences. Can you spot them? Describe them by completing the following sentences.

PRIMER CUADRO	SEGUNDO CUADRO
1. Del otro lado de la calle hay una _____.	Del otro lado de la calle hay una _____.
2. La persona que sale de la panadería es una _____	La persona que sale de la panadería es una _____.
3. La puerta tiene el número _____.	La puerta tiene el número _____.
4. Hay un _____ en la calle.	Hay dos _____. en la calle.
5. Un muchacho _____ por la calle.	Un muchacho _____. en la calle.
6. La puerta está _____.	La puerta está _____.
7. El hombre no lleva _____.	El hombre lleva _____.
8. No hay _____ en el escaparate (*displaywindow*) de la panadería.	En el escaparte de la panadería se ven (*onesees*) _____.
9. El animal es un _____.	El animal es un _____.
10. La puerta de la carnicería no tiene _____.	La puerta de la lechería tiene una _____.

EJERCICIO F

Answer the following questions about what you can do in each of these places around town.

1. ¿Qué haces en el café?

    _____

2. ¿Qué hacen en la fábrica?

    _____

3. ¿Qué hacemos en la biblioteca?

    _____

4. ¿Qué hacen en la oficina?

    _____

5. ¿Qué hacemos en el supermercado?

    _____

6. ¿Qué hace el hombre en la estación de trenes?

    _____

7. ¿Qué hace la mujer en la terminal de autobuses?

    _____

8. ¿Qué hacemos en el aeropuerto?

    _____

9. ¿Qué hago en el banco?

    _____

10. ¿Qué hacemos en el centro comercial?

    _____

EJERCICIO A

The sales staff of a leading electronics store is doing an hourly tally of the number of customers that have come into the videogame department during its inventory sale. Match the times with the numbers of visitors based on the information below.

Venta de videojuegos

10am	<u>18</u> personas
11am	<u>27</u> personas
12pm	<u>34</u> personas
1pm	<u>46</u> personas
2pm	<u>57</u> personas
3pm	<u>69</u> personas
4pm	<u>73</u> personas
5pm	<u>85</u> personas
6pm	<u>98</u> personas
7pm	<u>112</u> personas

1. a las once
2. a la una
3. a las tres

a. setenta y tres personas
b. veintisiete personas
c. ochenta y cinco personas

4. a las doce	**d.** cuarenta y seis personas
5. a las cuatro	**e.** cincuenta y siete personas
6. a las cinco	**f.** noventa y ocho personas
7. a las dos	**g.** dieciocho personas
8. a las seis	**h.** ciento doce personas
9. a las diez	**i.** sesenta y nueve personas
10. a las siete	**j.** treinta y cuatro personas

EJERCICIO B

Crucigrama de números. In the puzzle are the numbers 20 to 100 by 10's. Can you find them all?

EJERCICIO C

Write out the missing numbers for the following series.

1. diez, doce, _____, _____,

_____, veinte, _____.

2. treinta, cuarenta, _____, _____,

_____, _____,

_____, cien.

3. quince, veinte, _____, _____,

_____, _____, cuarenta y cinco,

_____, _____, sesenta.

4. cien, noventa, _____, _____,

_____, cincuenta, _____,

_____, veinte, _____.

5. tres, seis, nueve, _____, _____,

_____, veintiuno.

EJERCICIO D

A Spanish radio announcer is reading off the numbers of the following winning tickets. Write them in Spanish.

1. LOTERÍA NACIONAL 10 33 54 _____

2. LOTERÍA NACIONAL 17 96 81 _____

3. LOTERÍA NACIONAL 75 20 66 _____

4.

5.

6.

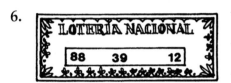

EJERCICIO E

Express how much each item costs.

EXAMPLE: la mesa = 45 pesos   -->   **La mesa cuesta ochenta y cinco pesos.**

1. la corbata = 15 pesos   _____

2. el suéter = 63 pesos   _____

3. el traje = 100 pesos   _____

4. la alfombra = 54 pesos   _____

5. la lámpara = 87 pesos   _____

6. el libro = 40 pesos   _____

7. el sillón = 72 pesos   _____

8. los zapatos = 98 pesos   _____

EJERCICIO F

Write out the temperatures for each of the following cities according to the illustrations.

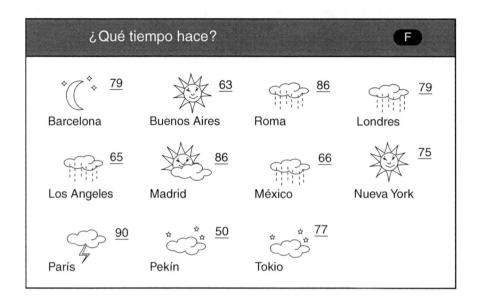

¿Qué tiempo hace? F

79 Barcelona	63 Buenos Aires	86 Roma	79 Londres
65 Los Angeles	86 Madrid	66 México	75 Nueva York
90 París	50 Pekín	77 Tokio	

EXAMPLE: Pekín   **cincuenta grados**

1. Tokio _____

2. Buenos Aires _____

3. Barcelona _____

4. Roma _____

5. Londres _____

6. Los Angeles _____

7. Madrid _____

8. México _____

9. Nueva York _____

10. París _____

EJERCICIO G

Julia has a job figuring out bills according to a price list. The manager wants all numbers written out to avoid errors.

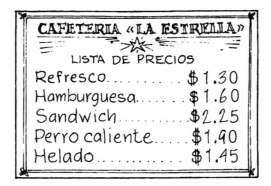

CAFETERIA «LA ESTRELLA»

LISTA DE PRECIOS

Refresco......... $1.30
Hamburguesa...... $1.60
Sandwich......... $2.25
Perro caliente... $1.90
Helado.......... $1.45

EXAMPLE:

2 refrescos	*dossesenta*
1 sándwich	*dosveinticinco*
1 hamburguesa	*unosesenta*
Total	*seiscuarentaycinco*

1.

2 hamburguesas	_____
2 refrescos	_____
Total	_____

2.

1 perro caliente	_____
1 refresco	_____
Total	_____

3.

1 perro caliente	_____
1 hamburguesa	_____
2 helados	_____
Total	_____

	2 sándwiches	_____
	2 refrescos	_____
4.	Total	_____

	1 sándwich	_____
	1 refresco	_____
	1 helado	_____
5.	Total	_____

	2 perros calientes	_____
	2 helados	_____
6.	Total	_____

EJERCICIO H

Your new key pal wants to know about your family, friends and place where you live. Write him/her a message.

_____

_____

_____

_____

EJERCICIO A

Using the correct form of **ir**, tell where everyone is going.

1. Tú / mucho al cine

   _____

2. Uds. / al estadio

   _____

3. Josefina / a la playa en el verano

   _____

4. Tu mejor amigo / con frecuencia a los conciertos

   _____

5. Yo / a la fiesta del sábado

   _____

6. Tú y tus amigos / a México en las vacaciones

   _____

7. Nosotros / al parque zoológico

   _____

8. La clase de español / al museo

   _____

9. Susana y Javier / a nadar en la piscina

_____

10. Mis hermanos y hermanas / a la discoteca con sus amigos

_____

EJERCICIO B

Look at the map. Using the correct form of **ir**, choose a place where the people on the next page are going.

EXAMPLE: yo **Yo voy a Nueva York.**

1. Mario _____

2. tú _____

3. él _____

4. ella _____

5. Ud. _____

6. nosotros _____

7. Uds. _____

8. ellos _____

9. María _____

10. Jorge y su mamá _____

EJERCICIO C

Complete with the proper form of **ir**.

1. Yo _____ al cine.

2. Luis y Ana _____ al concierto.

3. ¿_____ ella al parque?

4. Francisco y yo _____ al estadio.

5. Mi madre _____ al teatro.

6. ¿_____ Uds. a la discoteca?

7. La familia no _____ al circo.

8. Tú _____ a la fiesta, ¿no?

9. Rafael y yo _____ a la piscina.

10. Ellos _____ a la playa.

EJERCICIO D

Going places. All these people are going somewhere, but by different means. Can you tell where and how in Spanish?

1. Marta va a la escuela a pie.

2. Mis primas _____.

3. El presidente _____

_____.

4. Mi mamá _____

_____.

5. Los muchachos _____

_____.

6. El doctor Méndez _____

_____.

7. Los turistas _____

    _____.

8. Los hombres y las mujeres _____

    _____.

EJERCICIO E

Say where each person is going and at what time.

EXAMPLE: Ellos / el cine / 9 pm　　**Ellos van al cine a las nueve de la noche.**

1. yo / la discoteca / 10 pm

_____

2. tú / el teatro / 8:30 am

_____

3. ella / el concierto / 11:15 pm

_____

4. nosotros / la fiesta / 7:10 pm

_____

5. yo / el estadio / 3 pm

_____

6. mis padres / el circo / 2:20 pm

_____

7. Ud. / la piscina / 11:45 am

_____

8. Nuestros amigos / la playa / 12:00 pm

_____

9. Uds. / el parque de atracciones / 9:30 am

_____

10. Mi amigo y yo / el parque zoológico / 10:35 am

_____

EJERCICIO F

Each of your friends wrote a blog post about what they most like to do on the weekend. Can you match each illustration with its corresponding description?

_____   _____   _____   _____

1. Cuando van todos mis amigos juntos, es muy divertido. Bailamos y comemos.

2. Me encanta ver obras diferentes. Los actores tienen mucho talento.

3. Las películas que más me gustan son románticas. Voy con mi amiga todos los viernes.

4. Me gusta mucho nadar y tomar el sol. A veces voy con comida para almorzar en la arena.

EJERCICIO G

Fill in the blanks with the correct form of the verb ir.

Un fin de semana típico

Los viernes mis amigos y yo _____ al cine para ver una película.

Después nosotros _____ al café para charlar y comer y tomar

algo. Los sábados yo _____ al parque para jugar fútbol y mi

hermana _____ a su clase de baile. Por la tarde mis padres

_____ a la biblioteca y yo _____ a la casa de mi

mejor amigo, Guille. Los domingos mis amigos y yo _____ al

centro comercial y mi hermana _____ a la casa de su mejor amiga

para jugar. ¿Y tú? ¿Adónde _____?

EJERCICIO A

Your best friend wrote a list of items she needs for an upcoming surprise party, but she always asks for too much! Look at her list and divide it into things she wants (**quiere**) and things she needs (**necesita**).

una orquesta famosa

una piñata con muchos dulces

comida y refrescos para todos

un payaso

serpentinas

unos vasos plásticos

mesas extras

flores para todas las mesas

muchas sillas

globos de muchos colores

una torta de cumpleaños

música para bailar

Quiere...	Necesita...

EJERCICIO B

Write what each person thinks about the different topics.

EXAMPLE: Ellos / el baile / divertido
Ellos piensan que el baile es divertido.

1. Ellas / la profesora / magnífico

   _____

2. Tú / el regalo / bonito

   _____

3. Mamá / la fiesta / excelente

   _____

4. Ud. / el partido de fútbol / aburrido

   _____

5. Nosotros / el cumpleaños / alegre

   _____

6. Uds. / los chicos / inteligente

   _____

7. Las muchachas / la contaminación / peligroso

   _____

8. Tú y yo / la película / interesante

   _____

9. Yo / la clase de español / fácil

_____

10. Ella / la comida de la cafetería / deliciosa

_____

EJERCICIO C

Using the correct form of the verb **pensar**, tell what everyone is thinking about.

EXAMPLE: Jorge piensa en su auto nuevo.

1. Yo _____.

2. Tú _____.

3. Él _____.

4. Ella _____.

5. Ud. _____ .

6. Nosotros _____ .

7. Uds. _____ .

8. Ellos _____ .

9. Luisa _____ .

10. Jaime y su papá _____ .

EJERCICIO D

Complete with the proper form of **poder**. Tell what each one can do.

EXAMPLE: María puede cantar.

1. Yo _____

2. Paco y Pepe _____

3. ¿ _____ Uds. _____?

4. Mi hermana y yo _____

5. El médico _____

6. ¿ _____ tú _____?

7. Mi mamá _____

8. Ud. _____

9. Nosotros _____

10. Ellas _____

EJERCICIO E

Un diálogo incompleto. Your mother and you are discussing what you're going to get at the supermarket. Complete the dialog.

Mamá: Voy al supermercado. ¿Qué necesitamos?

Usted: _____

Mamá: ¿Puedes pensar en otras cosas?

Usted: _____

Mamá: Bueno, voy en media hora. ¿Qué piensas hacer ahora?

Usted: _____

Mamá: ¿Puedes ir también?

Usted: _____

Mamá: Entonces, no hay problema. Vamos.

Usted: _____

EJERCICIO F

Write two lists in Spanish as directed below. Each list must contain at least six items.

1. You're having a party at your house. In Spanish, list some of the foods you might want to buy.

    _____   _____

    _____   _____

    _____   _____

2. Your parents went away for the weekend and have left you some money for groceries. List some of the things you would buy.

    _____   _____

    _____   _____

    _____   _____

EJERCICIO A

You are at the department store and you would like to try on the same clothing as the mannequin is wearing. Tell the store clerk which articles of clothing you would like to try on.

Modelo: Yo quiero probar … esa chaqueta, etc.

_____

_____

_____

_____

EJERCICIO B

Mateo and Gloria are going shopping for outfits for a big party. Fill in their dialogue with the missing words according to the hints in parentheses.

Mateo: Me gusta _____ traje y _____ corbata.
         1. (that)   **2.** (that)

Gloria: ¿No te gusta más _____ chaqueta?
                          3. (that)

Mateo: No sé. Me gustan mucho _____ pantalones y
                                 4. (those)

         _____ camisa.
         5. (that)

Gloria: ¿Y qué te parece _____ falda y _____ blusa?
                          6. (this)   **7.** (this)

Mateo: Me gusta la falda, pero prefiero _____ vestido con
                                           8. (this)

         _____ zapatos.
         9. (these)

Gloria: Tienes razón. Y _____ suéter va bien con el vestido.
                          10. (this)

EJERCICIO C

You're walking down the street with your little sister. You point out things to her as you go.

EXAMPLE: Mira aquel autobús.

1. _____

2. _____

3. _____

4. _____

5. _____

6. _____

7. _____

8. _____

9. _____

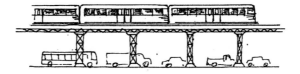

10. _____

EJERCICIO D

Match each part of the body in the left column with an appropriate article of clothing in the right column. Sometimes more than one clothing item is possible. Write the matching letters in the space provided.

1. el cuerpo _____
2. la cabeza _____
3. el pelo _____
4. la mano _____
5. los dedos _____
6. la pierna _____
7. el pie _____
8. el cuello _____
9. el brazo _____
10. el pecho _____
11. el estómago _____

a. el traje
b. la blusa
c. el cinturón
d. el suéter
e. el vestido
f. la falda
g. los zapatos
h. las medias
i. el sombrero
j. los guantes
k. el abrigo
l. la chaqueta
m. la corbata
n. los pantalones
o. los calcetines
p. la camisa

EJERCICIO E

Complete the sentences in Spanish.

1. (red shirt) Me gusta tu _____.

2. (T-shirt) No llevo _____.

3. (new shoes) ¿Quieres los _____?

4. (gloves) Cuando hace frío ella lleva _____.

5. (black suit) Mi padre necesita un _____.

6. (pretty tie) Ricardo lleva una _____.

7. (bathing suit) Eva compra un _____.

8. (dress) Mi _____ es azul.

9. (socks) Queremos comprar _____.

10. (jacket) No me gusta su _____.

EJERCICIO F

Diálogo incompleto. A customer is being waited on in a clothing store. Complete the dialog taking the part of the customer.

Dependiente: Buenas tardes. ¿En qué puedo servirle?

Usted: _____
         (Saythatyouarelookingforaniceshirt.)

Dependiente: Tenemos una buena selección en todos los colores. ¿Cuál quiere Ud?

Usted: _____
         (Makeyourselection.)

Dependiente: Quiere Ud. algo más?

Usted: _____
         (Sayyouneedatietogowiththeshirt.)

Dependiente: Me parece que esta corbata va muy bien con la camisa. ¿Qué más desea Ud.?

Usted: _____
         (Saythat'sallyouwantfornow.)

EJERCICIO G

Crucigrama de la ropa.

HORIZONTAL

1. shirt
3. sweater
7. pants
8. skirt
9. tie
10. suit
11. blouse
12. dress

VERTICAL

2. overcoat
4. stockings
5. shoes
6. socks

EJERCICIO H

Here's a well-dressed family. List what each member is wearing today.

Robertico	José	Nancy	Pepito	Luisita
_____	_____	_____	_____	_____
_____	_____	_____	_____	_____
_____	_____	_____	_____	_____
_____	_____	_____	_____	_____
_____	_____	_____		_____
	_____	_____		

EJERCICIO I

Las siete diferencias.

Nelida and Minerva are attending fashion school. They were told to dress up a set of mannequins. Here's the result. Can you spot differences in their work?

(1)

(2)

1. _____

2. _____

3. _____

4. _____

5. _____

6. _____

7. _____

EJERCICIO J

Each of these advertisements is missing part of the store name. Can you guess
each store name by skimming the words in the advertisements?

_____ Coatzingo

Vendemos todo tipo de
pan, tostadas y panecillos
para su casa.

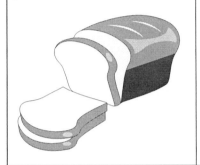

1.

_____ Mediterráneo

Vengan a comprar los
mariscos y pescados más
frescos y sabrosos.

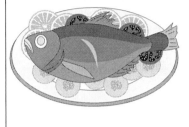

2.

_____ Amazonas

¡Tenemos flores, plantas
y más para todas sus
celebraciones y fiestas!

3.

_____ Paraíso

Ricuras de Azúcar
¡Niños! ¡Aquí tienen
todos los dulces que más
les gustan! Chocolate,
bonbones, paletas y
mucho más…

4.

_____ La Huerta

Les ofrecemos las
manzanas más rojas, las
naranjas más jugosas, y
las fresas más ricas… de
la huerta a tu mesa.

5.

_____ El Rancho

Carne de res, carne de
cerdo, pollo y ternera….
Tenemos todo para su
fogata y para su familia.

6.

EJERCICIO A

Classify these animals according to their habitat.

el mono   el pato   el león   el toro
el pájaro   el mono   el perro   el pez

el agua	la tierra	el aire
_____	_____	_____
_____	_____	_____
_____	_____	_____
_____	_____	_____

EJERCICIO B

Complete the following sentences using the verb **decir**.

1. Ellos _____ que los perros son bonitos.

2. Ud. _____ que los caballos son rápidos.

3. Los niños _____ que los conejos son adorables.

4. Uds. _____ que los lobos son feroces.

5. Nuestro profesor _____ que los monos son cómicos.

6. Juan Carlos y yo _____ que los toros son fuertes.

7. Mis padres _____ que los elefantes son enormes.

8. Tú _____ que los patos son interesantes.

9. Mi abuela _____ que los leones son feroces.

10. Sus hijos _____ que los pájaros son bonitos.

EJERCICIO C

There is a lot of popular wisdom surrounding animals. See if you agree with each statement.

	Cierto	Falso
1. Los ratones son muy grandes.	☐	☐
2. La vaca pone huevos deliciosos.	☐	☐
3. Los pájaros son feroces.	☐	☐
4. Los leones son tranquilos.	☐	☐
5. Los zorros son inteligentes.	☐	☐
6. Los elefantes son fuertes.	☐	☐
7. Los gatitos son adorables.	☐	☐
8. Los tigres son feroces	☐	☐
9. Los burros transportan a las personas.	☐	☐
10. Los puercos cantan bonito.	☐	☐

Now write five statements about animals that you believe to be true.

1. _____

2. _____

3. _____

4. _____

5. _____

EJERCICIO D

There are many animals in this picture. Do you know the names of all of them?
Fill in their names on the labels.

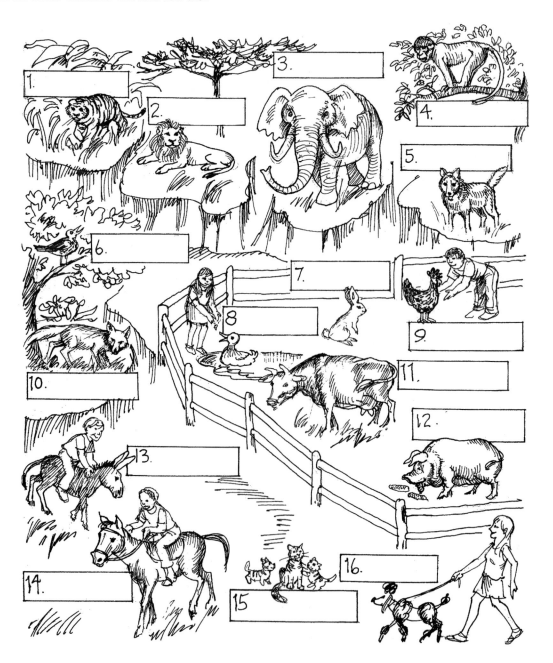

EJERCICIO E

Diálogo incompleto. A father is talking to his son about a trip that the son took to the zoo with his class. Take the part of the son and complete the dialog.

Papá: ¿Te gusta el parque zoológico?

Hijo: _____

(Say yes and tell why.)

Papá: ¿Qué animales te gustan más?

Hijo: _____

(Indicate which ones.)

Papá: ¿Qué otras actividades hacen ustedes?

Hijo: _____

(Name two activities.)

Papá: ¿Quieres ir al parque zoológico el domingo?

Hijo: _____

(Express gratitude, but indicate you want to go somewhere else.)

EJERCICIO F

Animals make different sounds in Spanish. For example, in English a dog says "Bow wow," while in Spanish a dog says "Guau, guau." Match the sounds with the animals that you think make each one (hint: try saying them out loud). Then write a sentence using the verb **decir**.

EXAMPLE: **El perro dice "guau-guau".**

1. cerdo
2. gallina
3. gato
4. león
5. pato
6. vaca

a. grrr, grrrgr
b. mu, muuu
c. oinc-oinc
d. coc co co coc
e. miau
f. cuac cuac

1. _____

2. _____

3. _____

4. _____

5. _____

6. _____

EJERCICIO G

What are some things that you have heard about different animals from the news or other information sources? Write five sentences describing what "they say" («**Dicen que...**») about different animals in danger of extinction. Use the internet to find out some specific details to make your sentences more interesting.

EXAMPLE: Dicen que hay menos de 30,000 leones salvajes en Africa hoy día.

1. _____

2. _____

3. _____

4.

5. _____

EJERCICIO H

Palabras revueltas. Unscramble the names of the following animals to find a ninth animal hidden in the circles. (For this exercise, count LL as one letter.)

1. N E L Ó

2. O P T A

3. GIRET

4. ACAV

5. BALLACO

6. TORRIPE

7. TRANÓ

8. TOGA

Solución:

EJERCICIO A

What are the nationalities of the following people?

1. Isabel es _____.

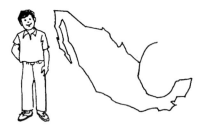

2. Diego es _____.

3. John y Susan son _____.

4. Wilfredo es _____.

5. Dolores es _____.

6. Nigel y Penelope son _____.

7. Francesco es _____.

8. Lisette es _____.

EJERCICIO B

At a party, you overhear the following conversation, but the music is loud and you miss some of the information. Use the clues to fill in the blanks with the missing words.

AKIKO: ¡Hola! Soy Akiko. Soy del Japón. Hablo _____.

ELENA: Buenas tardes. Me llamo Elena. Hablo ruso. Soy de _____.

Te presento a mi amigo, Chuy. Es _____, de la parte norte de México.

AKIKO: ¡Hola, Elena! ¡Hola, Chuy! Mi amiga María es de Portugal y ella habla _____. Chuy, ¿tú entiendes cuando ella habla?

CHUY: No mucho. Mi idioma, el _____ es similar, pero diferente al portugués; son dos idiomas distintos.

AKIKO:	Claro. Comprendo perfectamente bien. Tengo un amigo de la China que habla _____. ¡A veces la gente me pregunta si nosotros hablamos el mismo idioma!
MARISKA:	¡Qué locura! Yo no soy francesa, pero sí hablo _____. Es muy importante ser multilingüe, ¿no creen?
AKIKO y CHUY:	¡De acuerdo! Sí, da*, shuh**, hai***!

*   Yes in Russian

**   Yes in Chinese

*** Yes in Japanese

EJERCICIO C

Form sentences according to the example.

EXAMPLE: Jean/italiano/francés
Jean no es italiano, es francés.

1. yo/alemán/inglés

   _____

2. Ud./norteamericano/canadiense

   _____

3. tú/cubano/uruguayo

   _____

4. Wong/japonés/chino

   _____

5. Iván/alemán/ruso

   _____

6. María/portuguesa/española

_____

7. Nosotros/suizos/franceses

_____

8. Las muchachas/africanas/chinas

_____

9. El profesor/argentino/paraguayo

_____

10. Paulo/brasileño/portugués

_____

EJERCICIO D

Pasatiempo. Fill in the missing letters in each country. Then join the letters to find out where Mario is going for his vacation.

1. B R A S I __

2. F R A N C I __

3. E __ U A D O R

4. E S T A D __ S   U N I D O S

5. E __ P A Ñ A

6. H A I __ Í

7. __ L E M A N I A

8. C A N A __ Á

9. P __ R Ú

10. I N G __ A T E R R A

11. R U __ I A

12. M É X I C __

13. I T A __ I A

Mario va a: __ __   __ __ __ __ __   __ __ __ __   __ __ __ __

EJERCICIO E

By looking at the pictures, tell the nationality of the people mentioned.

1. Luigi es _____.

2. Mireille es _____.

3. Las señoras son _____.

4. Juan es _____.

5. Max es _____.

6. Pablo es _____.

EJERCICIO F

From the information on the maps, write the names in Spanish of the following countries.

1. _____   2. _____

3. _____   4. _____

5. _____   6. _____

7. _____ 8. _____

9. _____

EJERCICIO G

Diálogo incompleto. A travel agent is helping a customer with her vacation plans. Take the part of the customer and complete the dialog.

Agente: Buenas tardes. ¿Qué desea?

Usted: _____

  (Saythatyouhaveatwo-weekvacationandwouldliketotravelsomewhere.)

Agente: ¿Quiere Ud. hacer un viaje a Europa? Por ejemplo, a España, Francia o Italia?

Usted: _____

  (Tellhimthatyoudon'thavealotofmoney.
  Youwanttogotoatropicalislandwhereit'swarm.)

Agente: Hay muchas islas en el Caribe. Por ejemplo, Puerto Rico, La República Dominicana...

Usted: _____

(Saythatyouliketheidea.Askhimifyoucanleavetomorrow.)

Agente: Sí, claro. Voy a llamar a un hotel de San Juan para reservar un cuarto. ¿Está bien?

Usted: _____

(Tellhimyouagree.Saythatyouwanttoswimintheseaandsunbathe.)

EJERCICIO A

A well-rounded education consists of classes from different subject areas. Classify the subjects into these main categories: **ciencias**, **humanidades**, **artes**, **otras**.

CIENCIAS

ARTES

HUMANIDADES

OTRAS

EJERCICIO B

Answer the following personal questions about what you did yesterday after school at home.

1. ¿A qué hora llegaste de la escuela?

   _____

2. ¿Qué comiste para la cena?

   _____

3. ¿Qué comiste de postre?

   _____

4. ¿Con quién hablaste durante la cena?

   _____

5. ¿Qué hiciste después de la cena?

   _____

6. ¿Qué programas miraste en la televisión?

   _____

7. ¿Qué asignaturas estudiaste?

   _____

8. ¿Qué música escuchaste en tu habitación?

   _____

EJERCICIO C

Construct complete sentences in the preterit using the given subjects and phrases.

EXAMPLE: yo/comprar un regalo
Yo compré un regalo.

1. Ud./contar el dinero

   _____

2. tú/vivir en la ciudad

   _____

3. ellos/llegar tarde

   _____

4. él/recibir el premio

   _____

5. los niños/comer la fruta

   _____

6. yo/beber el café

   _____

7. Francisca/salir temprano

   _____

8. Uds./celebrar la fiesta

   _____

9. el perro/correr rápidamente

   _____

10. tú/mirar la televisión

   _____

EJERCICIO D

Wigberto and Olga have full schedules. Here are the different classes. Can you fill in their program cards on page 174?

BERTO   OLGA

1.

2.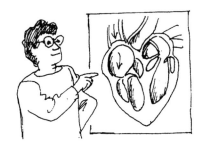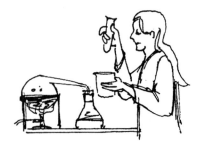

3.

BERTO   OLGA

4.

5.

6.

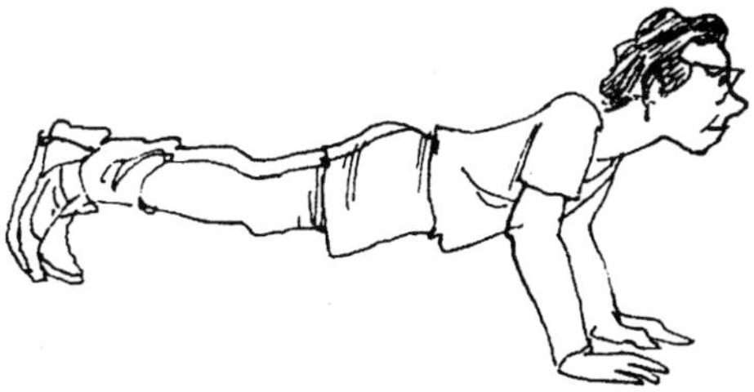

7.

8.

Roberto Rivas	Olga García
1er Período _____	1er Período _____
2^{ndo} Período _____	2^{ndo} Período _____
3er Período _____	3er Período _____
4to Período _____	4to Período _____
5to Período _____	5to Período _____
6to Período _____	6to Período _____
7mo Período _____	7mo Período _____
8vo Período _____	8vo Período _____

EJERCICIO E

Tell in what class the following statements would be heard.

1. Colón descubrió el Nuevo Mundo en 1492. _____

2. El pretérito del verbo expresa el pasado. _____

3. Uds. cantaron muy bien ayer. _____

4. Ud. necesita usar colores más brillantes. _____

5. Vamos a leer una obra de Shakespeare. _____

6. El sistema nervioso de los vertebrados es muy complicado. _____

7. Para formar un triángulo son necesarias tres líneas. _____

8. El oro es uno de los elementos básicos. _____

9. Es importante respirar fuerte al hacer ejercicio. _____

10. Internet es una herramienta muy popular. _____

EJERCICIO F

Diálogo incompleto. Lázaro and Elena are discussing their classes. Take the part of Elena.

Lázaro: Hola, Elena. ¿Adónde vas ahora?

Elena: _____
        (Say that you are going to your Spanish class.)

Lázaro: ¿Quién es tu profesor de español?

Elena: _____
        (Name your Spanish teacher and give your opinion of him/her.)

Lázaro: Estás nerviosa. ¿Por qué?

Elena: _____
        (Tell him that you have a test today and that you studied a lot last night.)

Lázaro: Todo va a ir bien. Buena suerte en el examen.

(Thank him and say you'll see him later.)

EJERCICIO G

Write a blog post about what you did yesterday in school. Describe what you did in different classes – don't forget to use the preterit tense!

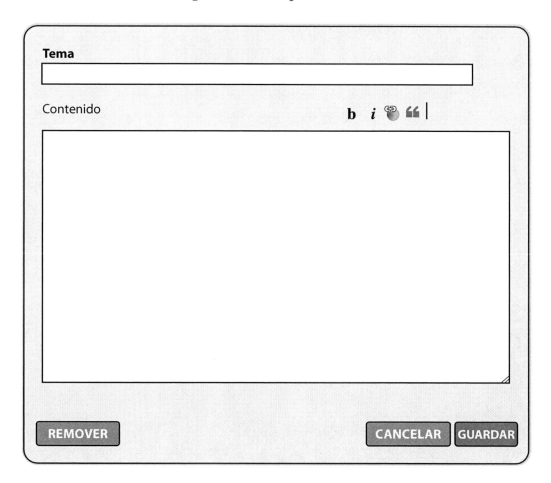